罗克数学荒岛10

历险记

拯救地球行动

达力动漫 著

SPM
南方出版传媒

全国优秀出版社
全国百佳图书出版单位　广东教育出版社

·广　州·

依依
开朗，骄傲，不开心的时候喜欢擦东西或者别人的头。

花花公主
可爱的刁蛮公主，霸道，还有点高傲。

罗克
机灵，懒散，数学小天才，但是讨厌数学。

UBIQ
数学机器人，只能发出"嘟嘟嘟"的声音。

小强
受气包，缺乏自信，胆小怕事。

目录

外星人兄弟

灭世危机

花花的烦恼

距离Milk来到地球，已经过了很长一段时间了，他也经常想家，想亲人，想到深处，还会默默流眼泪。

这天，Milk收到来自家里的邮件，是他哥哥寄来的，但是他还没来得及看，校长就叫他去吃泡面。在泡面的诱惑下，Milk放下了对家人的思念，信都没有拆开就跑了。结果这一忘，Milk就再也没想起来，这也导致了后来的悲剧……

今天是周六，妈妈允许罗克做完功课后玩1小时游戏。于是，罗克完成功课后就来

到了城堡准备和小强一起玩会儿游戏。

依依则和平时一样，只要闲下来就会开始打扫，即便已经很干净了，她还是会拿抹布擦一擦，这大概是她的个人爱好吧。

花花就有点无聊了，因为没人陪她玩，她自己又不知道要干什么。看着罗克和小强玩得那么开心，她就有些不乐意了。

花花随手抓起手边的东西朝罗克扔过去，幸好扔的是一顶假发，而不是什么暗器，不然罗克就危险了，因为这顶假发不偏不倚地砸在了罗克的头上。

罗克玩得正开心，突然发现头顶多了顶

假发，抱怨道："花花，别打扰我们玩游戏行不行！"

花花双手抱在胸前，一脸神气地走过去，说："本公主今天心情好，允许你们跟我一起玩，不如我们就玩'帮公主找王子'的游戏吧，我觉得那个最有意思！"

罗克没有理会花花，他丢掉头顶的假发，转过头去继续玩游戏。

小强此时也沉浸在自己的游戏中，完全忽视了花花的存在，气得花花火冒三丈。她一把抢过罗克的游戏机，然后随手一扔，吓得罗克连忙去捡，仔细检查："我的游戏机！幸好没坏……"罗克松了口气。小强看到花花走向他，连忙把游戏机藏在身后，生怕花花把他的游戏机也摔了。

花花看了眼小强，冷哼一声，说："小强，你这个叛徒！"

说完花花转身走到了正在打扫卫生的依依面前，看着依依忙碌的样子，花花又想

到了另一件好玩的事，于是对依依说："依依！他们不和我玩，你和我玩吧，既然你这么喜欢打扫，那我们可以演灰姑娘的故事，灰姑娘打扫的时候你来演，穿上水晶鞋的时候我来演，是不是很有趣啊！"

依依瞥了花花一眼，旋转着手中的抹布转身就走："没兴趣。"

花花气得直跺脚，牙齿咬得咯吱响，她黑着脸向城堡外走去，一边走一边说："都不跟我玩，本公主还不想跟你们玩呢！我现在就出去找新的朋友，别怪我有了新朋友就不理你们了。哼！"

然而花花说完狠话，还是没人理她，只有小强发出一声哀号，花花本以为小强要挽留她，但是却发现小强只是玩游戏输了而已，她气得加快脚步夺门而出。

写信与打电话中的数学

Milk收到家里的来信，由于没有及时回复，导致了后来的悲剧。"收信"和"回信"事件涉及数学搭配问题，用乘法原理解决问题更简便。然而，几人之间打电话事件，用加法原理即可解决。在处理这类问题时需全面思考，找出规律，做到"有顺序、不重复、不遗漏"。

例 题

假期里，小强、依依、花花、罗克、校长和Milk，任意两个人都要通信一次，问他们一共写了几封信？

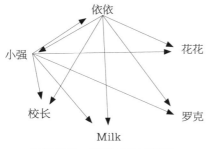

不用连完，我们找到了规律……

如左图，可用连线的方法，找出规律。两个人通信，有"收信"和"回信"才完成一次通信。

一共有 6 个人，每人写5封信，6×5=30（封），所以他们一共写了30封信。

注：这里用的是乘法原理解决问题。

牛刀小试

开学了，小强、依依、花花、罗克、校长和milk见面，任意两个人都要握手一次，问他们一共握了几次手？

7

花花找朋友

花花独自生着闷气，漫无目的地走了半个小时，来到了城堡附近的小水塘边。这里平时没什么人来，只有国王偶尔会来钓钓鱼。

不过这里小动物还是很多的，池塘边的树上有许多小鸟，它们叽叽喳喳地叫着，声音清脆悦耳。花花靠着池塘边的一棵柳树坐下，手里拿着一朵花，但不是在欣赏，而是一瓣瓣地撕了起来。

"找得到朋友，找不到朋友，找得到，找不到，找得到，找不到……"

花花每说一句就撕一片花瓣，这是她多年的习惯，遇事解决不了或不知如何是好的时候，她就会用撕花瓣的方法来得到一个结果。

　　撕了半晌，最后一片花瓣对应的是"找不到"。花花愤怒地将花梗丢进池塘，又摘了一朵，再次撕起来。

　　"哼，要是在数学荒岛，想要跟我玩的朋友排长队呢，怎么可能受这样的委屈。"花花双手撑着下巴，抬头看着蓝蓝的天空。

　　"数学荒岛的天也是每天都这么蓝呢，不知道朋友们都还好吗，他们有没有想我呢？唉……好想回家啊……"

　　一阵风吹过，花花撩开被风吹乱的头发，发现一只大蜗牛正从她身边慢悠悠地爬过。花花惊喜地微笑着，她拿出一朵花递给正在爬行的蜗牛，真诚地说："蜗牛先生，你要不要做我的朋友啊？"

　　这蜗牛居然像听得懂人话一样，花花的

9

话刚一出口，原本慢悠悠爬行的大蜗牛突然"嗖"一下就溜走了，连壳都不要了，就像是害怕跟花花做朋友。

花花对此倒是很大度，她闻了闻手中的花，说："也是，一只小小的蜗牛哪里敢和公主做朋友，是我想得不周到，不能怪它。"

花花转眼又看到了池塘边一只戴着眼镜的青蛙，虽然不知道青蛙为什么能戴眼镜，但是花花也不在意，她又伸出手上的花，问："青蛙先生，要不你做我的朋友吧！"

青蛙听了这话，鼓起腮帮子发出一声尖叫，然后居然一下蹦得老高，就像插了双翅膀一样。刚好这时，一个像外星飞船一

样的东西飞过，和青蛙撞个正着，青蛙和外星飞船双双坠落。

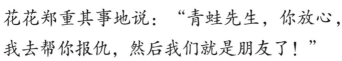

看着摔晕在自己旁边的青蛙，花花郑重其事地说："青蛙先生，你放心，我去帮你报仇，然后我们就是朋友了！"

花花朝着掉落的外星飞船走去。突然，飞船里蹿出一个浑身蓝色的小人，它眼睛大大的，光滑的身体上没有一根体毛，身高不到花花的一半。仔细一看，长得和Milk倒是有些相似。

"你是谁？"花花刚一开口，就看到这个蓝色外星人掏出了一把像枪一样的东西对着她，嘴里还"嘎嘎嘎"地说着什么。

花花偶遇青蛙

花花出去找朋友，在池塘边看见了一只戴着眼镜的青蛙。青蛙捉害虫可厉害了，不信你来算算。

例题

两只青蛙比赛捉虫子，如果小青蛙把捉的虫子给大青蛙5只，则大青蛙捉的虫子就是小青蛙的3倍。如果大青蛙把捉的虫子给小青蛙20只，则大小青蛙捉的虫子一样多。问：大、小青蛙各捉了多少只虫子？

方法点拨

解法1：

大青蛙-20=小青蛙+20

大青蛙=小青蛙+20+20

大青蛙=小青蛙+40

原来大青蛙比小青蛙多捉虫子：

20+20=40（只）

如果小青蛙给大青蛙5只虫子，则大青蛙比小青蛙多捉虫子：

40+5×2=50（只）

小青蛙虫子数−5：⌞⌟

大青蛙虫子数+5：⌞⌞⌞⌟

这时大青蛙的虫子数量是小青蛙的3倍，这时小青蛙的虫子的数量是：

（40+5×2）÷（3−1）

=50÷2

=25（只）

所以小青蛙原来捉虫25+5=30（只）

大青蛙捉虫30+20×2=70（只）

解法2：

这类问题属于差倍问题，可用方程解答，设小数量为x，再利用倍数关系来找等量关系：

一倍数×倍数=多倍数

设原来小青蛙捉虫x只。

$3(x-5)=x+40+5$

$3x-15=x+45$

$2x=60$

$x=30$

大青蛙捉虫数量：30+20×2=70（只）

牛刀小试

一只笼子里有白兔、灰兔若干只，如果拿出4只灰兔，白兔和灰兔数量相等，如果拿出2只白兔，灰兔只数是白兔的2倍。问白兔、灰兔各多少只？

和外星人做朋友

大概是这个外星人和那把枪的外形不够吓人，花花并不害怕。她上前一步，就像抢罗克游戏机一样敏捷而迅速地从外星人手里夺过了枪。

"你是想跟我玩警察捉小偷的游戏吗？本公主今天心情好，就玩这个吧！"

花花用枪指着外星人，吓得这个外星人连忙举起手，拔腿就跑。花花赶紧提着枪追了上去，蓝色外星人看到花花拿着自己的枪追上来了，更加拼命地跑。因为他知道，被枪击中会有什么后果。

外星人一边"嘎嘎嘎"叫着，一边玩命地逃跑。很快，他发现追他的小孩不见了，于是他停下来，仔细观察四周，确定花花没有追上来后，他暗暗地松了口气。可他没有轻松多久，花花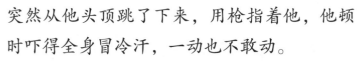突然从他头顶跳了下来，用枪指着他，他顿时吓得全身冒冷汗，一动也不敢动。

"哈哈哈哈！捉到你了！是我赢了！"花花很高兴，她靠着自己对地形的了解成功捉到了外星人，花花觉得这是一个公主应该做到的。

"既然你输了，从现在开始你就是我的朋友了！"花花边说边把枪放进自己口袋里。

外星人看到花花的举动，知道自己没有危险了，但要是被这个地球的小娃娃捉住，也太丢外星人脸了。于是，他趁花花不注意，转身撒腿就跑，因为只要回到飞船上，他就安全了。

显然，他没有逃出花花的手掌心，原来花花早就已经悄悄地在外星人身上绑了绳子，外星人一跑，她就把他拉回来。

"我们可是朋友啊，你怎么能丢下我一个人呢？"

花花一想到罗克他们看到自己的外星人朋友时吃惊的样子，就不由得得意起来。花花迫不及待地要回去向大家炫耀，便用绳子拉着外星人，火急火燎地冲向城堡。

花花和外星人追逐

花花追着外星人跑，很容易让我们想到数学中的追及问题。

同向追及问题的特点是跑得慢的先跑，跑得快的后出发，沿同一条路去追赶前面的人，一般问跑得快的追上跑得慢的所用的时间（通常叫"追及时间"）或者问两者的路程差（通常叫"追及路程"）。

基本公式：速度差×追及时间=追及路程。

例 题

外星人在花花前面50米处慌不择路地以200米/分的速度跑，花花以120米/分的速度抄近路追，10分钟后追上了外星人，这10分钟，外星人比花花多跑了多少米？

因为这道题走的是不同的路线，不同一般意义上的追及问题。"50米"是个干扰条件，外星人比花花多跑的路程由二者的速度和追及时间决定。

解：（200-120）×10=800（米）

所以，这10分钟，外星人比花花多跑了800米。

牛刀小试

花花抢了外星人的枪，走到离外星人160米的地方，外星人发现枪不见了，以200米/分的速度追过来要夺回枪，而同时花花以120米/分的速度往前跑。外星人几分钟能追上花花？

我有外星人朋友我自豪

　　花花牵着蓝色外星人走到城堡门前，突然，她停了下来。花花觉得一定要隆重地向大家介绍她的这位新朋友。可是，这个外星人叫什么名字呢？

　　无论花花问他什么，外星人也只是"嘎嘎嘎"地回答。两人语言不通，根本就沟通不了。

　　花花想了想，说："既然你只会'嘎嘎嘎'，那就叫你'嘎嘎'好了！就这么说定了！"

　　外星人就这样莫名其妙地被花花起了个

名字，要是他听得懂花花的语言，肯定不会愿意被取这么个难听的名字。

鳄狗像往常一样坐在城堡前的护城河桥上，看到花花过来"汪汪"叫了两声以示欢迎。但是很快鳄狗就立起倒刺，冲着嘎嘎狂吠起来。看到如此凶猛的狗，嘎嘎有些慌，他赶紧躲在花花身后。

"鳄狗，你怎么可以吠我的朋友呢？是不是想让我告诉爸爸，让他来收拾你啊！"

鳄狗瞬间变得乖巧，不仅不吠了，还摇起了尾巴。但是它看嘎嘎的眼神依旧那么凶狠，就像看着对自己有威胁的野兽一样。

嘎嘎冷冷地瞪了鳄狗一眼。花花没注意嘎嘎的表情，拉着他径直向城堡走去。鳄狗依然紧紧地盯着嘎嘎，看得出来它非常戒备。

花花神气地走进城堡，清了清嗓子，高声喊道："咳咳！我要介绍一下我的新朋友！"

罗克、小强和依依听到花花的话后，都不约而同地将目光投向花花。

见众人的注意力成功地被吸引，花花更加得意，她像拉宠物狗一样一把将嘎嘎拉到身前，拍了拍他的头，说："这是我刚认识的外星人朋友，他一见到我就说要和我做朋友，本公主没办法，只好答应他咯。"

三人好奇地打量着嘎嘎。依依觉得这个新来的外星人有点可爱，她溜到花花身边，双眼放着光说："花花！你把他借给我玩一下好不好？"

　　花花很大度地点点头，说："我是公主，怎么会小气呢？就算你之前不跟我玩灰姑娘的游戏，我也一点都没记仇！"

　　"花花，你都有我了，为什么还要交新的朋友，你是不是不喜欢我了。"小强眨了眨眼睛说。

　　花花叉着腰，指着小强，傲娇地说："你就继续跟罗克玩游戏吧！本公主不理你们了！"

　　"花花，这家伙你是从哪找来的，我总感觉他不像是什么好人，你可别被骗了。"

　　"怕我不跟你玩就直说嘛！没想到罗克你居然会说这种话，我的新朋友简直比你好一万倍！"花花赌气说。

　　罗克觉得此时的花花有点不可理喻，便

不再理会。不过他总感觉这个外星人似曾相识，他有种不好的预感。

　　这时UBIQ跑了过来，提醒大家马上就是愿望之码的出题时间了，让大家去广场等待。于是一行人立即出发，前往广场。

比 例

外星人嘎嘎长得就像缩小版的Milk。

"放大版"或"缩小版"，涉及数学中比例的知识。用比例解决问题时，列比例式要注意比例的顺序；利用公式找比例时，尽可能将数值化成最简比，再列比例解答。

例 题

罗克仔细打量了外星人嘎嘎一番，他长得就像缩小版的Milk，他们的头都是圆圆的，头围比大约是2∶3，如果Milk的头围是60厘米，则嘎嘎的头围是多少厘米？嘎嘎和Milk两人脑袋的体积比大约是多少？

方法点拨

（1）设嘎嘎的头围是x厘米，他们的头围比实际上是其头的周长比。

$2：3=x：60$

$x=40$

（2）由于脑袋接近球体，球体的体积比等于半径的立方比；他们的头围比实际上是其头的周长比，半径比也等于周长比。

脑袋的体积比：$（2×2×2）：（3×3×3）$

$=8：27$

答：嘎嘎的头围是40厘米，嘎嘎和Milk脑袋的体积比大约是8：27。

牛刀小试

外星人嘎嘎和Milk的身高比大约是2：3，他俩的总身高为320厘米，他们的身高各为多少厘米？

5 外星人兄弟

校长和Milk已经来到了广场。这次答题，校长出奇地没有做任何手脚，这让Milk觉得很惊讶。校长故作深沉地对Milk说："对付这几个小屁孩，根本不用动歪脑筋。"这话Milk自然是不信的，他太了解校长了，这次没动歪脑筋，八成是校长没招了。

Milk在地球上最大的进步，就是学会了把话吞回肚子里，因为他知道只要揭了校长的老底，那今天晚上他就只能啃馒头了！

另一边，罗克、国王、依依、花花、

小强、UBIQ，还有外星人嘎嘎气势汹汹地来到了广场，他们势要取得最后这几场答题的胜利，毕竟现在双方的比分差不多，谁赢了最后几场，谁就能获得许下终极愿望的权利。这个终极愿望是国王他们拯救数学荒岛的唯一办法，所以只能赢不能输！

校长瞥了罗克等人一眼，不屑地说："人倒是挺多，就是没有几个有用的。"

花花昂首挺胸地走到校长面前，神气地说："哼，校长，别以为只有你有外星人，现在我也有外星人朋友了！"

校长一看，发现花花身后跟了一个矮小的蓝色外星人，校长鄙夷地说："真丑……说实话，比Milk还丑。"

Milk看了看花花旁边的外星人，顿时目瞪口呆，颤抖着说："你……你怎么在这啊？"

看到Milk，嘎嘎又开始"嘎嘎"地叫起来，很激动的样子，他使劲挣脱绳子，跳到了校长那边，和Milk"嘎嘎嘎"地交流起来。

Milk一会儿说外星语，一会儿又说地球话，所以大家只听得懂："哦，原来是这样，嗯，啊，我知道了！"

"Milk，你认识他？"校长一头雾水。

花花看不下去了，生气地对着嘎嘎喊道："嘎嘎，你也要背叛公主吗？那边是敌人，快回来。"

"你说什么呢？什么敌人，这是我哥哥。"Milk虽然对花花的话不满，但也难掩见到哥哥的喜悦之情。

哥哥？所有人都把目光转移到他们身上。这么一说，俩人确实有点像，都是蓝蓝的，没有毛发。至于为什么哥哥这么小，弟弟这么大，没人知道。

花花知道她的外星朋友不会回来了，伤心欲绝地扑在国王怀里大哭起来，国王只能安慰她说："别伤心，改天我买一个更好的

给你。"

小强也笑眯眯地安慰说："花花你还有我啊！"

"滚！"

Milk问哥哥来地球干吗，而嘎嘎却说在那封寄给他的信中已经说了。Milk这才想起来，还有信这一回事，他完全忘记了。但是Milk又不想让哥哥知道自己没看信，于是他装作一副什么都知道的样子，表示自己和哥哥想的完全一样。这让嘎嘎很高兴，果然是兄弟齐心。虽然这次Milk打着马虎眼糊弄过去，但心想回去一定要找出信来好好看看。

很快，愿望之码开始出题了。这次给出的题目是：一个棱长1分米的正方体木块，表面涂满了红色，把它切成棱长1厘米的小正方体，在这些小正方体中，两个面涂有红色的有多少个？

听完题目，小强、依依和花花三人一脸疑惑，这1分米是多长呢？

　　"大概是这么长吧！"依依用手比了个和篮球直径差不多的长度。

　　小强继续问："那1厘米呢？"

　　依依把比画的距离缩小了些，差不多乒乓球直径长度，说："大概这么长吧。"

　　"依依，你不愧是只比本公主差一点的女生！"花花露出赞许的目光。

　　罗克在一旁看着几个人比画，和UBIQ对视一眼无奈地说："UBIQ，你说有这样的队友怎么赢？"

　　虽然罗克在吐槽，但是他早就在脑海中快速地演算，希望能比校长更快算出答案。

国王给罗克揉着肩膀，很明显是把希望都寄托在罗克身上了。

"罗克，舒不舒服啊？力度怎样？"

"我马上就算出来了！别打扰我！"罗克说完，就算出了答案，但是还是慢了一步，这次校长抢先说出了答案。

"有96个！"

花花嘲讽说："呸！肯定是错的！"

罗克拉住花花，无力地说："他是对的。"

校长得意地大笑。他这次可是一点花招都没使，堂堂正正地战胜了罗克，连Milk都觉得不可思议。嘎嘎在一旁"嘎嘎嘎"地不知道说些什么。

"你哥是不是在说我很厉害啊？"

校长这么一问，Milk也只好违心地点点头，他可不敢把哥哥骂人的话翻译给校长听。

校长满意地点了点头，给出了自己的解

题过程：两个面都涂有红色的小正方体，在大正方体的棱上，每条棱上有8个，正方体有12条棱，所以两个面涂有红色的正方体有8×12=96个。

依依几人恍然大悟，原来……还挺简单的，只要认真学习肯定能做出来啊！大家陷入没好好学习的懊悔中，而罗克也因为慢了校长一步，觉得心有不甘。

校长虽然很得意，但是没忘记自己还有个三分钟的愿望没许呢。于是他想了想，提出了自己的愿望。

"我想回老家看看！"

这次校长的愿望居然是正常的，大家都有些吃惊。而愿望之码很快实现了他的愿望，他瞬间凭空消失了，下一刻，校长就出现在一个小山村里。

校长看到了自己曾经的家，那是一间古朴的房子，四周种了许多竹子，家养的鸡在附近觅食，还有那条老黄狗，它正趴在屋门

前呼呼大睡。

"几十年没回来看过了，家里还是这样？"校长有些疑惑，因为他感觉看到的这些不像是现在的老家，而是记忆中儿时的家。

果然，从屋里跑出两个赤脚小孩，他们嬉戏打闹，好不开心。

"那是我和哥哥？"校长确定了，这确实不是现在的家乡，而是以前的记忆，但是他的愿望是回家看看，而不是看记忆啊。

就在校长纳闷的时候，天开始旋转，地面开始晃动，空间开始扭曲，爆炸声不停响起——三分钟的时限到了，校长最终还是没能借助愿望之码的力量回家看一眼。

而在被拉回现实的一刹那，校长看到了奇怪的一幕：空中有一艘飞船，而Milk的哥哥居然在飞船里。

校长回到了现实，Milk连忙询问他回家好不好玩，因为Milk也好久没有回家了，也

34

想家了。

　　校长无心理会Milk的询问，他满脑子都是刚刚看见的奇怪画面，于是他问道："Milk，你哥哥呢？"

　　Milk手一指，校长顺着看过去，发现嘎嘎正在呼唤飞船。一艘和校长刚刚看到的一模一样的飞船飞了过来，随后飞船发出一束光，将嘎嘎、校长和Milk一起吸了上去。

　　"Milk！你哥哥要干什么？"校长有种不好的预感。

　　"他说想带我们去玩玩！"

正方体的切割

如果把表面涂色的正方体切割成单位体积的小正方体，会发现什么秘密呢？

正方体棱长	三面涂色的块数（8个顶点处）	两面涂色的块数（12条棱中间）	一面涂色的块数（6个面中间）	没有涂色的块数（立体中间）
2	8	0	0	0
3	8	$(3-2) \times 12 = 12$	$(3-2)^2 \times 6 = 6$	$(3-2)^3 = 1$
4	8	$(4-2) \times 12 = 24$	$(4-2)^2 \times 6 = 24$	$(4-2)^3 = 8$
5	8	$(5-2) \times 12 = 36$	$(5-2)^2 \times 6 = 54$	$(5-2)^3 = 27$
6	8	$(6-2) \times 12 = 48$	$(6-2)^2 \times 6 = 96$	$(6-2)^3 = 64$
n（$n \geqslant 3$）	8	$(n-2) \times 12$	$(n-2)^2 \times 6$	$(n-2)^3$

例　题

一个棱长1分米的正方体木块，表面涂满了红色，把它切成棱长1厘米的小正方体，在这些小正方体中，两个面涂有红色的有多少个？

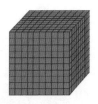

1分米=10厘米。两个面都涂有红色的小正方体，在大正方体的棱上，每条棱上有10-2=8（个），正方体有12条棱，所以两个面涂有红色的正方体有8×12=96（个）。

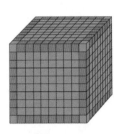

牛刀小试

一个棱长1分米的正方体木块，表面涂满了红色，把它切成棱长1厘米的小正方体，在这些小正方体中，一个面涂有红色的有多少个？

灭世
危机

校长被绑架了

没过多久，校长和Milk就被结结实实地绑在了办公室里。

"Milk，不是说好的只是带我们去玩吗？"

被绑在一旁的Milk也很困惑，但还是故作轻松地说："可能哥哥这次想和我们玩一个不同寻常的游戏吧。"

此时，嘎嘎正在校长办公桌上敲打着键盘，屏幕上显示着地球的基本资料，他头上戴着从校长宝箱里搜出来的语言翻译器2.0版——比Milk的更加先进，所以他现在也能和地球人正常交流了。

校长生平最讨厌别人乱动他的东西。他当然也挣扎、反抗过，结果却被打了两巴掌，校长最后只能忍气吞声。

Milk也在一旁提醒校长：他哥哥虽然看着很娇小，但是性格残暴，如果此时和他硬碰硬就只有吃亏的份儿。校长不敢乱来，但心想着一定要找机会好好报复一下。

"哥，你绑校长可以理解，但是为什么连我也绑？"Milk试探着问哥哥。

"就你这智商，我怕你坏我的大事，还是绑着你好，免得你帮倒忙。"

"什么大事？"

"信里不是跟你说了吗，你难道没看？"

"看了看了！"Milk赶紧装作看过信的样子，要是被这个暴躁哥哥知道自己完全忘记看信这回事，那可不是饿肚子这么简单了。

嘎嘎拍拍Milk的大腿，安抚他说："等完成了这件事，我就带你回家，你肯定也想家了吧。"

校长默默地看着这两兄弟，总感觉不太对劲。这个娇小的外星人，让他有一种熟悉的感觉，但他们以前没有见过，更别说认识了，怎么会熟悉呢？

"Milk，告诉我你哥想干吗？"

被校长这么一问，Milk顿时慌了，心想：我哪里知道啊，我也是装的啊！就在Milk想着要如何糊弄过去的时候，嘎嘎替他回答了校长："我来告诉你，我要毁灭地

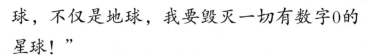

球，不仅是地球，我要毁灭一切有数字0的星球！"

"啊？"校长和Milk同时发出惊讶的声音。校长此刻终于明白为什么看到嘎嘎会有熟悉感，原来他们的目的有点像啊，但是他只是想统治地球，而不是毁灭。

Milk也是刚得知嘎嘎的计划，着实被吓了一跳，他怯怯地说："哥，这是不是有点……"

话还没说完，嘎嘎就一眼瞪过去，Milk只好乖乖闭嘴。嘎嘎冷哼道："数字0是宇宙中最邪恶的存在，是恶的根源，只有消灭0才能让宇宙永远和平！"

校长眨了眨眼睛，有些摸不着头脑："什么邪门歪理，'0'怎么惹你哥了？"

Milk叹了口气，语气凝重地说："我哥从小就很害怕数字0，原因是什么，我到现在都不清楚……"

Milk话还没说完，嘴巴就被嘎嘎塞了块

布进去，嘎嘎有些恼怒："我就应该一开始就堵住你的嘴！"

事实证明，没有什么可以堵住Milk的嘴，因为那块布被他吃了下去，他甚至还打了个饱嗝。嘎嘎气不打一处来，直接跳起来给了Milk一拳，骂道："我怎么会有你这种弟弟。"

校长见两兄弟正闹别扭，顿时萌生了一个主意，他笑眯眯地看着嘎嘎，说："小兄弟，不如我们来做一笔交易吧。"

"你有什么资格跟我做交易？"

"有没有资格你听一下就知道了，你过来，我悄悄告诉你，免得Milk这蠢货坏了我们的大事。"

Milk顿时不高兴了，嘟着嘴说："校长，你太小看我们兄弟的感情了，我哥一定会因为你侮辱我而教训你的……对吗，哥？"

嘎嘎完全没在意Milk说什么，早已凑到

校长身边认真地听着，一边听还一边点头，脸上也渐渐露出笑容，最后更是满意地夸赞说："嗯，很好，没想到你这家伙还挺聪明的嘛。"

说完嘎嘎就跑出了办公室，似乎一时半会也不会回来了。Milk好奇地问校长刚刚对他哥说了什么，校长只是神秘一笑，没有回答。

虽然不是他本意，但是事情好像在往对他有利的方向发展了！当然，当务之急是挣脱身上的绳子。

让嘎嘎闻风丧胆的0

嘎嘎不仅怕0，连像0的形状他都害怕。下面小朋友围的圆圈，嘎嘎也害怕，你怕不怕?

例 题

罗克班上有49位同学，学号从1到49。校长让罗克挑选出若干个同学围成一个圆圈，这些同学中任何相邻两个同学学号乘积小于100，最多能选出多少个同学?

方法点拨

"最多"意味着尽可能选学号小的同学围圈，时刻关注"相邻两个学号乘积小于100"这个条件。

先从1、2、3开始出来围圈，然后一一调整，我们发现，解决

10 1 18
9   2
11   17
8   3
12   16
7   4
13 6 14 5 15

这个问题，画图是个很好的方法！

当到"19"号时，无论怎样调整，都不能满足19个同学围圈，相邻两个同学学号乘积小于100，除非换一个同学出来。

所以，最多能选出18个。

牛刀小试

在1~50这50个自然数中，最多可以取出多少个数，使得取出的任何两个数的和，不在取出的数中。

外星人入侵地球！

　　下午的小镇很宁静，金黄色的阳光洒遍了每一个角落，照得人暖洋洋的。就在这个宁静祥和的下午，小镇来了一个不速之客，他身材娇小，眼神凶狠，还满嘴龅牙，他就是外星人——嘎嘎！

　　按照校长的计划，首先嘎嘎要给人类社会制造恐慌，这样才会有人注意到他，这会有利于下一步计划的实施，这就是嘎嘎来小镇的目的。

　　"我将会让人类见识一下什么叫真正的恐怖！"

嘎嘎的计划是先用武器毁坏几座高大的建筑,这样就能吸引人的注意,然后他就可以在众目睽睽之下干更大的事,并将最暴力、最恐怖的一面展现给地球人看。

嘎嘎举起手中的枪,神气地吹吹枪口。这把枪是他备用的,原来那把被花花抢走了。但是没关系,嘎嘎已经远程开启了自毁程序,花花手里的那把枪已经和烧火棍没区别了。

嘎嘎迈出左脚,伸直手臂,瞄准目标。帅气的射击姿势已经摆好,马上就要开枪了。但是仔细一看,目标建筑物似乎有点奇怪,原来那个是个包子店,说到包子就想到了圆,而圆又让人联想到0。嘎嘎突然浑身冒冷汗,因为这让他想起了那件他不愿意回忆的往事——因为考试考0分,被爸妈暴打。

嘎嘎抱头躲到一边,不敢再看那间包子店。他决定换个目标,这次他瞄准的是冰激凌店。说到冰激凌,就想到了那圆圆的冰

激凌球，冰激凌球和0简直一模一样，而且
这家店屋顶的招牌上刚好有五个圆圆的冰激
凌球。

嘎嘎又抱头躲到一边："太可怕了，这
个世界太可怕了，全都是0，果然要毁灭掉
才可以！"

就在嘎嘎下定决心要毁灭地球时，有人
从背后拍了拍他的肩膀。嘎嘎吓了一跳，回
头一看，竟然是曾经打败自己的花花，以及
她的几个小伙伴。

嘎嘎连忙退后几步，警惕地看着花花。
他吸取了上次的教训，紧紧握住枪，并将枪

口对准有致命威胁的花花。

花花态度则和嘎嘎相反，她微笑着挥挥手，热情地打招呼："嘎嘎，我们又见面了！"

嘎嘎对花花的友好感到恼火，觉得很没面子，因为他一个凶狠的外星人居然被几个地球小孩当作好朋友了，这算什么，过家家吗？嘎嘎生平最讨厌的事除了0就是过家家了。

嘎嘎愤怒地说："我宣布，从今天开始你们的地球已经被我占领了！"

听到嘎嘎的宣言，大家的反应各不相同。花花惊讶的是嘎嘎居然会说人类的语言了，而罗克则对这个自大的外星人嗤之以鼻，在他看来，嘎嘎只是痴心妄想，这种说要占领地球的反派，最后都没有好下场。

依依和小强不仅不害怕反而还觉得很有趣，因为侵略地球他们只在电视里见过，没想到现实世界里还能见到，这太刺激了！

嘎嘎忍无可忍，他觉得这群人一点都不尊重自己。以往他到其他星球，别人不是恐惧就是毕恭毕敬，哪里受过这样的轻视！太气人了，一定要好好教训一下这帮小屁孩。

嘎嘎准备开几枪给这几个小屁孩一点颜色看看。就在这时，国王带着加、减、乘、除出现了，同行的还有胖、瘦警长。

国王指着嘎嘎大喊："就是他，我感觉到了他的邪恶气息！"

加、减、乘、除和胖、瘦警长一拥而上，将嘎嘎团团围住。

难道外星人入侵地球的戏码还没开始就要结束了吗？

不！并没有，外星人嘎嘎展现出了强大的战斗能力，他左右扭动躲开了敌人的攻击，然后连开两枪，精准命中胖、瘦警长。

乘大喊："国王！不好了！胖、瘦警长阵亡了！"

"才没有！"胖、瘦警长同时否认，他

们也知道自己中枪了，但是怎么会一点事都没有呢？难道外星人的枪对他们不管用？

当然，很快他们就发现自己错了，因为他们的身体已经完全不由自己控制。嘎嘎拿出了两个遥控器一顿操作后，胖、瘦警长竟然转身拿枪对准了国王。

除在一旁大喊："国王！我懂了！他们被枪打中后就被操控了！"

"我没瞎！"

国王感觉到现在的情况有些棘手，看来这个外星人不好对付啊。

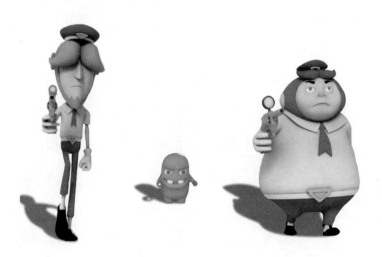

冰激凌中的数学

罗克他们最爱吃冰激凌，冰激凌形状各异，有桶状、球形，还有锥形……你知道不同形状冰激凌的大小吗？

例 题

长方体冰激凌桶的长、宽、高分别是40cm、18cm、12.6cm，一个冰激凌球的半径是3cm，一桶冰激凌可以做几个冰激凌球？（$V_{球体} = \frac{4}{3}\pi R^3$）

方法点拨

解法1：

$V_{长方体} = 底面积 \times 高$

（40×18×12.6）÷（4×3.14×3×3×3÷3）

=9072÷113.04

≈80.25（个）

解法2：

设可以做x个冰激凌球。

4×3.14×3×3×3÷3×x=40×18×12.6

3.14x=252

x≈80.25

答：一桶冰激凌可以做约80个冰激凌球。

牛刀小试

　　校长的酒瓶上半部为6厘米高的圆锥，下半部为高10厘米的圆柱，两者底面半径相同，瓶中装酒的液面高度为7厘米，现将酒瓶倒置后，瓶中酒的液面高度是多少厘米？

国王与外星人的大决战

国王与外星人嘎嘎正处于正面对决中。另一边，校长办公室里，校长挣扎着想解开绳子，但是都无济于事。校长没有办法，只好咬牙对Milk说："Milk，我们一定要阻止你哥毁灭地球！"

"为什么？地球毁灭了，校长你跟我回数学星球就好啦！"

"地球毁了你就没泡面吃了！"

Milk开始动摇了，校长见状又补充说："而且你再也见不到国王了！"

Milk听后立刻大义凛然地说："校长，那我们现在该怎么做？"

校长挪动着身体，从口袋里蹭出一部手机，说："你打电话给罗克，让他们来这里救人。"

　　"为什么要打给罗克而不是警察？"Milk不知校长葫芦里卖的什么药。

　　"让你打就打！从现在开始，你再问一个为什么，我就要你好看！"

　　"可……可是，怎么打呢？"Milk连忙收住嘴巴，校长让他打电话，但是他也被绑住了啊，怎么打呢？

　　"用你灵活的大舌头啊！"

　　经过校长的提醒，Milk终于想起自己还有条舌头可以用，于是连忙伸出长蛇般的舌头舔了舔校长的电话。嗯！味道有点咸。

　　"不是让你吃电话！"看到Milk的动作，校长简直要被气疯了。

　　另一边，罗克几人躲在小角落围观国王和外星人嘎嘎的对决。罗克负责解说，进行现场分析。

"依我看，国王和外星人现在是平局，接下来只要谁能取得优势，谁就能赢。"

这时罗克的电话响起，接通后，电话里传来了熟悉的声音……

此时，国王和嘎嘎的对决还在继续。国王见胖、瘦警长正一步步逼近自己，心想必须做点什么才行。后退中，国王眼角的余光瞥见嘎嘎正在用遥控器操纵胖、瘦警长，他灵光一闪：对啊，把遥控器抢过来不就好了！

"加、减、乘、除，去把遥控器抢过来！"

听到国王的命令，加、减、乘、除互相推诿，最终除不情愿地滚了出去。国王知道，抢夺遥控器并不是那么容易，这个外星人肯定会严加防范，除的机会只有一次！

"上吧，除！把我教你的本事都展现出来吧！"

除蒙头滚到嘎嘎的面前，随手一拿，就

把他手中的其中一个遥控器抢了过来。

好像比想象中的容易。

嘎嘎因为被抢走遥控器，大为震怒，于是开启遥控增强模式，强化了正在被操控的瘦警长。只见瘦警长冲过来一拳将除打飞了，但是在飞出去的一瞬间，除将遥控器扔向了国王。

见兄弟被揍，加、减、乘三人抄起自己的扫把、苍蝇拍、晾衣架等武器朝瘦警长扑了上去。可出乎意料的是瘦警长以一敌三，徒手挡下了所有攻击，甚至还把扫把劈成了两半。

"妈呀！怪物啊！快跑啊！"加、减、乘见情况不对，扭头就跑，除也屁颠屁颠地跟了上去。

国王捡起除扔过来的遥控器，随手就是一顿操作。于是胖警长开始按照遥控器指示行动——扭动着身体在邮筒上

摩擦。

"不是！我让你打架！你蹭邮筒干嘛！"国王换另一种指令，这次胖警长开始狂揍邮筒。

嘎嘎发现国王拿走自己的遥控器，生气地大吼："地球人，我一定要狠狠地教训你！"

在嘎嘎的熟练操控下，瘦警长朝国王冲过去，国王大惊，连忙呼喊加、减、乘、除过来帮忙，而此时的加、减、乘、除正躲在旁边的草丛里瑟瑟发抖……

"你们实在太没用了！"国王刚骂完，就看到罗克带着依依、小强还有自己的女儿

花花一起冲了出来，国王很是感动，擦了擦眼角的泪，说："还是你们好！"

　　然而罗克只是带着三个小孩径直跑了过去。经过国王身边时，罗克喊道："国王，我们有事先走了！"

　　"爸爸加油，你一定能赢的！"花花则挥动双手，鼓励道。

　　国王就这样眼睁睁地看着他们离开，他愣了大约两秒，擦掉眼泪，倔强地喊道："国王总是孤独的，但是国王绝不会认输！"

　　国王疯狂按着遥控器，终于他成功掌握了遥控器的使用方法，只见胖警长朝正冲过来的瘦警长跑去，一场大战即将打响。

　　国王嘴角上扬，目光如炬，喊道："就让我们来一场伟大的对决吧！"

　　嘎嘎感受到了国王熊熊燃烧的斗志，他双目一沉，也开始认真起来："打架，我从来没怕过！"

嘎嘎和国王快速输出指令，胖警长和瘦警长开始正面交锋。

"呀啊啊——"嘎嘎和国王同时发出震天的吼声，随之刮起了一道旋风，四周的花草都被吹得摇摇晃晃。

"多么强大的力量！"加、减、乘、除不禁感叹道。

胖警长、瘦警长两人同时收回右手，握拳，出拳。

"啊！剪刀，石头……"

"布！"国王和嘎嘎同时喊完口号，结果胖警长出了布，瘦警长出了拳头。

国王赢了，他举起右手做出胜利者的姿势，阳光洒在他的身上，让他顿时看起来闪闪发光。而嘎嘎则仿佛被乌云笼罩，身后是电闪雷鸣。

"你输了。"国王以胜利者姿态俯视着嘎嘎。

嘎嘎颓废地坐在地上，神情低落，手中

的遥控器也滑落下来，他嘴里喃喃道："我竟然……输了……"

在一旁观战的加、减、乘、除，都不由得松了口气。

大决战败北，嘎嘎不得不暂时撤退，不管怎么说，小镇总算是获得了暂时的平静。

剪刀 石头 布

"剪刀 石头 布"游戏既可以锻炼肢体动作的协调性、反应的灵敏性，还蕴含着有趣的数学知识。

它的游戏规则是：

1.猜拳时要同时亮出手势。

2.如果手势相同，继续猜拳；如果手势不同，决出输赢："剪刀"赢"布"，"布"赢"石头"，"石头"赢"剪刀"。

例题

小强、罗克、依依、花花四个人玩猜拳游戏，每两个人都要玩出输赢，结果小强赢了花花，并且小强、罗克、依依三人赢的场数相同，问花花赢了几场？

猜拳比赛和淘汰赛类似。四个人猜拳每两个人玩一次，一共玩了3+2+1=6（次）。

小强、罗克、依依三人胜的场数相同，如果都是赢1场，那么，小强必须输给罗克和依依。罗克和依依也必须输给花花；但依依和罗克的猜拳，无论输赢或平手都与条件矛盾（如下左图）假设不成立。所以小强、罗克、依依三人都赢2场（如下右图）。花花赢的场数：6-2×3=0（场）。

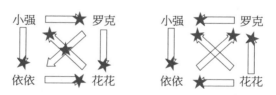

牛刀小试

小强、罗克、依依、花花四个人玩猜拳游戏，每两个人都要玩出输赢，玩了5场，结果罗克和小强都赢了2场，花花1赢2输，问还有谁和谁没有比赛？

64

解救校长

　　校长和Milk仍然被绑在校长办公室里。由于无法挣脱绳子，他们只能期待接到电话的罗克他们能前来救援。"如果罗克他们不来怎么办？"

　　"胡说！我可是校长，他们敢不来救我吗？"

　　Milk转过头去自言自语地说："谁让你平时干那么多坏事，要是我肯定不来救你。"

　　"嗯？你刚才说什么？"

　　"没没没！我什么都没说！"Milk这次

学聪明了，他知道要是被小心眼的校长听到，他肯定又要遭罪。

校长和Milk陷入了沉默，办公室突然一下子安静了下来。过了好一会儿，校长突然开口问："Milk，你想不想回家啊？"

Milk看着校长肯定地点点头，说："当然想啊，不过想归想，其实地球也是不错的，我还挺喜欢这里的！"

"你的飞船恐怕很难修好了，如果你想回去的话，让你哥哥带着你回去吧。"

Milk低头不语，一副若有所思的样子。半晌，Milk像是做了一个重要决定似的，郑重地说："校长，其实……"

Milk话还没说完，门口突然传来了"砰砰砰"的敲门声——是罗克他们！

"校长，校长你在吗？开门啊！我们来救你了！"罗克一边敲门一边喊道。

校长一听到罗克的声音，整个人顿时变得精神起来，浑浊的双眼也开始发光。但

是还没等他开口回应，就听到罗克在外面大喊：“没人开门，炸开！”

校长还没来得及阻止，门就被炸飞了，门口冒着滚滚黑烟。

“我们来了！”罗克高喊着冲了进来。

校长高兴地说：“终于来了！快帮我解开绳子！”

“好！”依依和花花同时冲到校长身边，两人拉扯着绳子试图解开。但是绳子越解越紧，校长被勒得脸色铁青。

“住手！这绳子被动了手脚，不能这么解，不然就会越来越紧！”校长连忙喊停，而此时Milk已经被绳子勒成了个米其林轮

胎，脸都泛白了。给Milk解绳子的罗克和小强不好意思地摸了摸自己的后脑勺，觉得有些对不起Milk。

"那我们该怎么做？"罗克问。

"你要在电脑上解除这层防护才行！你不会的话就按我说的做。"

罗克立马来到电脑前，但是却发现这电脑需要输入密码才能打开，可是校长也不知道正确的密码。好不容易缓过神来的Milk，提醒大家说："我哥喜欢做数学题，所以他一直用数学题来设置登录密码，只有输入正确答案才能打开电脑。答案只能输入一次，如果输错了，电脑就会开启自毁程序。"

"数学题？那还不简单，交给我吧！不过没想到校长也有求我的一天，哈哈！"

校长也从未想过，自己也有希望罗克答对题目的一天，他心里暗暗想：罗克，我的计划能不能实现就看你的了，不要让我失望啊。

嘎嘎设置的题目是：有2块大小和形状相同的伞形硬纸皮，请将每块一分为二，拼成一个正方形，应该怎么拼？

罗克看完题目后有些惊讶，他没想到嘎嘎会出个这样的题目。罗克转身对Milk说："你哥到底怎么想的？用来当密码的题目，不出个函数题，怎么偏偏出我擅长的几何题？看来他脑子比你还笨。"

"很容易吗？"依依也看着题目思考起来，"这怎么可能呢？伞形是有弧度的，而正方形是直角直线。"

"反正我不会。"小强摇头说。

"没人问你！"花花生气地掐出一朵花边撕边说，"能，不能，能，不能……"

罗克低头思考片刻，便开始用手划分屏幕中显示的伞形硬纸皮图案，大家的注意力也都转移到屏幕上。答案渐渐显现出来，依依等人也顿时恍然大悟。

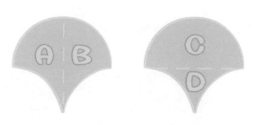

　　他先将第一块硬纸皮按虚线分为A、B两部分，再把第二块按虚线分为C、D两部分，随后，他开始挪动四块图形。最终，四块图形果然组成了一个正方形。

　　成功答对题目，罗克终于能操作电脑了，按照校长的指示，罗克顺利解除了绳子上的防护程序，将校长和Milk身上的绳子都解开了。

　　罗克赶紧询问校长他电话中说的那个天大的、关乎所有人存亡的秘密到底是什么。正是因为这个原因，罗克才急忙赶来救校长。

　　校长沉默了一会儿，缓缓开口说："那个外星人要毁灭地球！"

设计图案

嘎嘎的开机密码的题目用到图形移动的知识，通过将图形平移、旋转、割补，进一步认识图形的性质。

例 题

如图所示的正方形的边长都是4厘米，图①②③中阴影部分的面积是否相同？

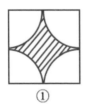 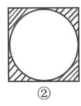 

　　　①　　　　　　②　　　　　　③

方法点拨

先将图①按虚线划分。

A=E=B+C=2D

所以，图①②③阴影部分面积相等。

①

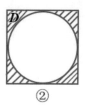
②

③

牛刀小试

你能画出下面这个图案吗？

兵不厌诈

　　毁灭地球？就那个小个子外星人？罗克之前听他说要占领地球就已经嗤之以鼻，更别说毁灭地球了。他以为地球是那么好毁灭的吗？罗克反正是不相信的。

　　花花嘟着嘴说："哼，嘎嘎那么可爱，怎么会毁灭地球呢，我才不信你的话呢。"

　　校长摊开手表示爱信不信，反正自己已经说了，接下来他要自己去想办法阻止嘎嘎。

　　见罗克等人并不相信校长的话，一旁的Milk急了，表示他哥哥真的要毁灭地球，而

且他之前已经去过很多星球了，那些有数字0的星球都被毁灭了。

虽然大家不相信校长，但是Milk就不一样了，这家伙性格耿直，几乎不会说谎，所以他的话倒是让大家信了几分。

虽然已经知道了嘎嘎的目的，但是不知道嘎嘎接下来会怎么行动，所以他们现在也想不出什么对策。不过无论如何，先找到嘎嘎再说。

罗克几人正准备往之前见到嘎嘎的地方跑去，但是还没出门口就被校长拦住，校长一脸严肃地说："不能乱来，我们必须先制订好周密的计划才行。"

大家一听赶紧停下来，想知道校长接下来有什么计划。没想到校长却不好意思地挠挠头，表示自己并没有什么计划。大家失望地发出一片嘘声。

Milk现在的处境有些尴尬，因为这群人正在商量如何对付自己的哥哥，身为弟弟他肯定是要帮自己的哥哥。但是他又挺喜欢地球，并不希望它被哥哥毁掉。最好的结果就是哥哥听他的劝告，停止毁灭地球的计划，但是他知道这很难，因为哥哥从来就不会听他的话。

罗克想了一会，说："我倒是有个办法。"

他认为最简单的办法就是借助愿望之码的力量。愿望之码马上就要出最后一道题，谁答对，谁就能实现终极愿望，只要许愿将嘎嘎送回他自己的星球，危机就完美解决了。

"不行！"出乎罗克的预料，在场的人除了Milk，都纷纷反对。依依、花花和小强表示他们是要用愿望之码拯救数学荒岛的，不能用在这件事上，否则他们的家园就危在旦夕。

校长倒是没说自己拒绝的理由，只是说这样太亏了。

看来只能想其他办法了。就在大家陷入沉默的时候，国王大吼着冲进来："啊！花花，你没事吧！"

原来国王收到花花的消息，说校长办公室可能会发生大事，所以他就马不停蹄地赶来了。

校长看到国王，眼珠子一转，露出坏坏的笑容。他立即冲到国王面前，和他说了几句悄悄话。国王听完后露出凝重的表情，但校长的话他不全信，于是扭头问Milk："是真的吗？"

Milk以为国王问嘎嘎要毁灭地球是不是真的，赶紧点头说是真的，国王这才相信，毕竟Milk是自己的"粉丝"。

国王拍拍校长肩膀，点点头说："好，我明白了，这里交给我，你们要小心。"

校长点点头，拉着Milk就往门外跑去。罗克几人不明所以，刚想追上去看看，就被国王拦住了。

“外面太危险了，你们几个躲在这里哪都不许去。”

“爸爸，你在说什么啊？”花花有些不解地问。

国王擦了擦眼角的眼泪，说：“我知道你们都想尽自己的努力保卫地球，但是你们还太小，这个世界上有很多比你们强大的人，他们永远会冲在最前面。即使他们倒下了，还会有其他人站起来，所以轮不到你们去牺牲。”

“国王，你在说什么啊？我们没打算牺牲，别拦着我们啊！”国王的话让罗克有些摸不着头脑。

罗克想要趁机冲过去，但是国王反应敏捷，他飞扑过去将罗克死死地按在地上。

突然这时办公室一阵晃动，四周的门窗都被钢网笼罩了起来，似乎要封住出口。

“校长果然没骗我，这里果然是最安全的地方！”国王满意地点点头。

　　"可是我们……好像出不去了呢。"罗克他们一脸埋怨地看着国王。

　　国王额头冒汗，有些心虚，说："你们别这样看着我啊，我也是为你们好，校长说外面很危险的。"

　　"他恐怕是要抢着去愿望之码那儿答题吧，马上就到答题时间了。"罗克一语道破校长的阴谋。

　　"对哦！"国王这才反应过来自己被校长骗了。

　　出不去就参加不了答题，就许不了终极愿望。更加严重的是，如果校长赢了以后，许了个自私的愿望，那地球就会被毁灭了。

　　办公室外，校长得意地转着手中的全自动门钥匙，说："哈哈哈，没想到我准备的防空袭设备居然在这时候派上用场了，这下答题的就只有我了，赢定了！"

　　Milk有些看不过去了，他摸着脑袋试探

地问道："校长，他们刚刚把我们救出来，你就这样恩将仇报，会不会不太好啊？"

校长瞪了Milk一眼，骂道："兵不厌诈，这还不是因为他们蠢？别废话了，赶紧去答题！"

钢铁笼

校长办公室被钢铁笼罩了起来，一个长方体的钢铁笼涉及数学中长方体棱长、表面积以及体（容）积知识，焊接的钢管数及间隔距离还涉及植树问题的点数与段数知识。

例 题

如图，从天而降的钢铁笼长9米，宽6米，高2.7米，5个面都是用平行的钢铁焊接成的，两根钢管间相隔15厘米。做成这个钢铁笼至少用了多少米的钢管？

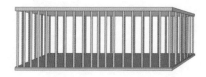

钢铁笼顶用的钢管可能是9米长的，也可能是6米长的，需要分别计算再比较。

情况1：

15厘米=0.15米

6米长的用了4根，

9米长的用了6÷0.15+1+2=43（根）

2.7米长的用了（6+9）×2÷0.15=200（根）

4×6+43×9+200×2.7

=24+387+540

=951（米）

情况2：

15厘米=0.15米

9米长的用了4根，

6米长的用了9÷0.15+1+2=63（根）

2.7米长的用了（6+9）×2÷0.15=200（根）

$4 \times 9 + 63 \times 6 + 200 \times 2.7$

$= 36 + 378 + 540$

$= 954$（米）

$954 > 951$

答：至少用了951米的钢铁管。

牛刀小试

前文的钢铁笼内的空间有多大？如果给笼子四周和顶上罩一个布罩，这个布罩至少用多少布？

最后的对决

　　校长和Milk气喘吁吁地跑到广场，虽然累，但校长脸上却洋溢着笑容，因为这次没有人和他竞争了，只有他自己一个人答题的话，无论如何都不会输。

　　"只要我拥有终极愿望，地球就算被毁灭了，我也不怕，哈哈哈！"校长仰天大笑。

　　看着校长一副小人得志的样子，Milk毫不留情地说："校长，你真是一个大坏蛋。"

　　校长整理了一下衣领，不以为然地说：

"哼，你懂什么，我为了这一天不知道准备了多久，说起来还要感谢你哥哥呢，不然哪能这么顺利困住罗克他们。"

"那校长你赢了比赛，是不是就可以帮我修飞船了？"

校长突然头冒冷汗，眼神游离，心虚地说："嗯嗯……放心好了，交给我，没问题。"

Milk高兴地跳起来，完全没有怀疑校长的话，这让校长突然觉得有些许罪恶感，但是看到广场上方缓缓升起的愿望之码时，这份罪恶感也消失得一干二净了——只要赢了这一次，一切都是值得的。

Milk好像突然想到了什么，他看了看四周，发现小镇并没有什么变化。这让他感到有些奇怪，按照校长的说法，现在他哥哥应该在制造恐慌，但是周围看起来风平浪静，什么都没发生。

想来想去也不知道哥哥会干什么，这时

Milk突然灵光一闪，想起了那封信，信上面肯定有说明。Milk想找出那封信来，可又忘了放哪儿了，毕竟他的东西实在太多了。

见时间差不多了，校长喊上正在发呆的Milk，准备登上台阶。

这时一个让校长意想不到的人出现了——是罗克，他踩着UBIQ变成的滑板快速飞了过来，并大喊："校长，没想到吧！我也来了！"

校长目瞪口呆，不敢相信罗克居然从自己的铜墙铁壁里逃出来了，他究竟是怎么做到的呢？

来的不仅仅只有罗克，国王开着一辆大车，载着依依、花花和小强紧随其后。

校长气急败坏地说："你们……你们是怎么出来的？"

罗克拍了拍从滑板形态变回来的UBIQ说："你忘了我们救你的时候是怎么进去的吗？那扇门可是UBIQ用了炸药炸开的，幸

好UBIQ去处理多余的炸药了，这才没跟我们一起进办公室。"

校长气得咬牙切齿，双眼都快喷出火来了。又是这个UBIQ坏他好事，原本已经胜券在握了，现在又来了个势均力敌的竞争对手，校长哪里高兴得起来。

马上到了中午十二点，愿望之码发出绚丽的七彩光芒，整个广场犹如被彩虹环绕。这次，愿望之码已经积聚了前所未有的能量，正是这股能量，能够实现胜利者的终极愿望。

"终极决战，开始！"愿望之码洪亮的声音传遍整个广场，这场决胜之战，究竟谁能获得最终的胜利呢?

赛场上的数学

在愿望之码中的得分比和数学上的比一样吗？答案是：不一样！数学上的比是倍比，可以化简，而在愿望之码中的得胜场次比和体育上的比一样，是两数相差的比较，是差比。赛场上，还有很多有趣的问题。

例 题

罗克学校举行象棋赛，有16位选手参加象棋晋级赛，每两人都只赛一盘。每盘胜者积1分，败者不积分。如果和棋，每人各积0.5分。比赛全部结束后，积分不少于10分者晋级。那么本次比赛后最多有几位选手晋级？

方法点拨

每盘双方的总分：1+0=0.5+0.5=1（分）

一共比赛的盘数：15+14+13+…+3+2+1=120（盘）

120盘的总分为120分，理论上可以晋级的人数：

120÷10=12（人）

理论上有12人可以晋级，实际上可不可以呢？

如果12人晋级，所有场次的分都被他们瓜分了。但不能晋级的4人之间也有比赛，而且进行了3+2+1=6（盘），1×6=6（分），所以，不可能有12人晋级。

最多11人晋级可以吗？我们来分析一下：

没有晋级的有16−11=5（人）

5人比赛进行了4+3+2+1=10（盘）

10×1=10（分）

11×10=110（分）

11人之间都是打平局，但他们都赢了那没晋级的5人。

10×0.5+1×5=10（分）

符合猜想。

答：本次比赛后最多有11位选手晋级。

牛刀小试

假如罗克与校长在愿望之码中赢的场次分别是4场和2场，他们可能会经历哪些比？

外星搅局者

愿望之码光芒四溢，充满能量的它即将给出决定胜利的最后一道题。这次过后，愿望之码将会陷入长时间的沉睡，时间可能长达几十年，所以这次国王等人必须把握住机会，如果错过了，数学荒岛将毁于一旦。

国王、依依、花花、小强都紧张得不行，他们对罗克投去期盼的目光，这让罗克感到压力有些大，如果这次输了，大家会变成什么样子呢？

罗克摇摇头想让自己集中精神不去想这些，但是他突然又想到了嘎嘎，于是转头问

Milk："你哥哥不是要破坏地球吗？怎么还没有动静，不会是骗我们的吧？"

面对罗克的三连问，Milk先是肯定地点点头，接着连续两次摇头。意思很明显：嘎嘎是真的要毁灭地球，但是他也不知道为什么没动静。

罗克本想继续追问，但是愿望之码就要开始出题了，罗克便没再多问，静静等待着。这时意外出现了，一个娇小的蓝色身影从愿望之码前一闪而过，愿望之码出题瞬间被中断。

"嘎嘎！"

"哥哥！"

花花和Milk率先反应过来，这个蓝色身影正是外星人嘎嘎。他把愿望之码拿在手中，嘴角泛起一阵冷笑。

"这就是愿望之码？很好，我感受到了强大的数学能量，它现在归我了！"

国王气急败坏地冲过去，指着嘎嘎大

骂：“手下败将还敢抢夺愿望之码，信不信我再给你一点颜色看看？”

嘎嘎冷眼看着国王，嘲讽道：“你以为我是真的输给你了吗？这只不过是我的计划之一而已。”

说完，嘎嘎看着校长，同样不屑地说："你以为我不知道你是想利用我，让我制造骚乱，然后你就趁机夺走愿望之码？你们真是太天真了，我做的一切只不过在演戏给你们看，利用你们而已！哈哈哈！"

校长听完嘎嘎的话，气不打一处来，他一脚踢在Milk身上说："你看你，同样

是外星人，你们两兄弟的差距怎么就这么大呢？"

Milk一脸无辜，自己什么也没干，却被打了，真是飞来横祸。

Milk知道哥哥下定决心要毁灭地球，但他还是想试着阻止哥哥。

"哥哥，能不能不要毁灭地球啊？我……我还挺喜欢这里的。"

"你这没出息的东西，居然给他们求情？看来离开家久了，你都忘了自己是谁了，这次事情结束后你必须跟我回去。"

"可是……"

"闭嘴！"

Milk不敢再多说什么，因为他从小就怕这个矮个子哥哥。

嘎嘎冷哼一声，拿着愿望之码许下自己的心愿："愿望之码，我要你给我把地球分成两半，这样这个星球看起来就不像0了！"

许完愿后，嘎嘎缓缓睁开眼睛……

"咦，没反应？"

罗克等人看着嘎嘎困惑的样子，忍不住笑出了声。校长更是肆无忌惮地捂着肚子大笑，说："哈哈哈，我以为你有多聪明，原来也比Milk好不到哪去，想让愿望之码实现愿望不答题怎么行？顺便告诉你，能参加答题的只有我们，所以无论如何你都无法许愿的。"

"原来如此，答题是吗？既然这样……"

嘎嘎立即掏出枪对着校长，校长一看情势不妙，拔腿就跑，可是还没跑多远就被Milk一把捉住，校长挣扎着大喊："Milk！你想干吗？"

"对不起校长，他是我哥哥……我必须听他的……"Milk一脸无奈。

一道激光射出，校长立刻就被激光绳子绑住，动弹不得。嘎嘎吹了吹枪口说："把你的答题权让给我怎样？”

"你做梦！"校长毫不畏惧。

嘎嘎眼神突然变得凶狠起来，他手一握，激光绳子开始收拢，校长被勒得脸色发青。虽然剧痛无比，但是校长硬是没有喊一声。

"呵呵……外星人……你太小看我们……地球人了！"就算经受着痛苦，校长也不忘挑衅嘎嘎。而校长的举动彻底激怒了嘎嘎，他又一次将绳子收紧，校长被勒得几乎要窒息。

Milk有些不忍心，只能转过身去不看校长。

罗克看不下去了，站出来喊道："放开校长！"

嘎嘎略带挑衅地看了眼罗克，说："也可以，只要把你的答题权让给我。"

"不可以！"国王等人

异口同声喊道。

罗克也知道不能将自己的答题权让给嘎嘎，于是他只好对校长说："校长，你把答题权给他吧，由我来打败他。"

校长此时已经脸色发紫，但是神情却异常镇定。他沉默了好一会，最后叹了口气，点点头。

"好。"

嘎嘎嘴角露出一丝得意的笑容，他放出手中的愿望之码，和校长进行了答题权的交接。他将会取代校长和罗克进行最终答题决战，谁获胜谁就能许下终极愿望。

等体积变换（2）

校长常常在数学实验室中用完全浸没和不完全浸没法研究等体积变换问题。

这个方法也叫"排水法"，常用于测量不规则物体的体积。

完全浸没：

浸没物体的体积=升高的水的体积+溢出的水的体积

浸没物体的体积=升高（下降）部分水的体积

不完全浸没：

浸没部分的体积=升高（下降）部分水的体积

例 题

一个高为8厘米，容积为50毫升的圆柱形容器里装满了水，现把一个高为16厘米的圆柱棒垂直放入容器中，使圆柱棒的底面与容器的底面接触，这时一部分水从容器中溢出，当把圆柱棒从容器中拿出后，容器中水的高度为6厘米。圆柱棒的体积是多少立方厘米？

方法点拨

解：圆柱棒的高度是容器高度的2倍，所以溢出的水是圆柱棒体积的一半。

$50 \div 8 \times （8-6） \times 2$

$=6.25 \times 2 \times 2$

$=25$（立方厘米）

答：圆柱棒的体积是25立方厘米。

牛刀小试

一个底面半径是6厘米的圆锥体金属铸件，放进棱长为15厘米的正方体容器的水中，这个铸件全部被水浸没，容器中的水面比原来升高1.2厘米。求这个圆锥体的高。（精确到0.1厘米）

决出胜负

　　愿望之码被嘎嘎释放后，大家怀着既紧张又期待的心情，迎来了终极题目："有9棵树，要栽成10行，每行3棵，需要怎么种？"

　　看似简单的一道题，却不是那么容易能做出来的，这便是终极题目的特别之处。

　　小强摸着脑袋疑惑地说："只有9棵树，怎么可能栽成10行呢？"

　　依依说："如果是我的话，我会把每棵树砍成3段，这样问题就很简单啦！"

　　"依依，你还是不要说话了，本公主都

替你感到丢人！"花花鄙夷地说。

依依咬牙瞪着花花，本该同心协力、共同努力的两人又开始内斗了。

国王刚刚被校长骗过一次，觉得非常没面子，所以想在数学题上找回颜面。他想，要是最后一道题是自己答对的，那该有多风光啊，女儿也会无比崇拜自己，到时自己就是万人敬仰的英雄国王，走到哪儿都有"粉丝"簇拥。国王沉浸在自己的幻想中，他越想越高兴，完全忘记了数学题这回事。

嘎嘎听完题目后，仔细思考了一会，他有些迷茫——这种题目，在数学星球没见过啊！嘎嘎向Milk投去求救的目光。

Milk连忙摆手说："别看我……我也不会。"

"没用的东西！"嘎嘎又把目光投向被绑得严严实实的校长。

"还数学星球来的呢，这么简单的题目都不会，我是不会告诉你的，自己想去。"

校长说完踢了踢旁边的Milk，"愣着干什么，帮我解开绳子啊！"

Milk连忙点头说："校长，你等等，这种绳子要用专门的解锁工具，我找找，你别急。"

嘎嘎很生气，这个秃头地球人居然敢违抗自己。他想教训校长的时候，却被Milk拦住了："哥，校长他也没做什么，能不能……放过他？"

"让开！"

"不让！"

"你……"

嘎嘎无奈地看着Milk，叹了口气，转过身去，开始思考题目。他想着想着竟然有了些眉目，然后越想思路越清晰。嘎嘎似乎找到了解题方法，脸上也逐渐出现了笑容。

"对！对！一定是这样！"嘎嘎心中推算着解题过程，他知道自己离答案很近了。嘎嘎看了眼罗克，发现罗克沉默着，一言不

发，应该也是在想答案，但只要自己比他更快想出来，那就大功告成了。

Milk此时还在翻找着解开绳子的工具，但是却意外找到了嘎嘎寄给他的信，Milk拿着信，默默地跑到角落读了起来。

罗克脑海中正在进行9棵树的排列组合，在排了几十种组合后，罗克终于找到正确答案，他连忙高喊："我知道了！"

罗克给出的答案是：每行固定3棵树，那么把9棵树排成3行。这时候我们需要把树与树之间的距离变一下，使得3棵树成行的排列恰好有10组。因为题目没说明要怎样的行，所以横、竖、斜都可以，如此就可以排出10行了。

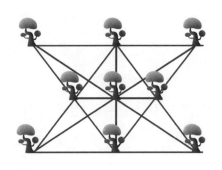

罗克刚说完答案，嘎嘎就发出了愤怒的吼声，因为答案他也想到了，只比罗克慢那么一会儿。

国王等人已经激动地抱在一起，情不自禁地流下了眼泪。因为罗克赢得了最终对决，只要许愿消除数学荒岛的危机，他们就能回到日思夜想的家乡了，如何能不激动。

校长只是很平静地笑了笑，没人知道他在想什么。

而在一旁偷偷看信的Milk神色却不太好，越往下看，他的眉头就皱得越紧。

愿望之码宣布："恭喜罗克赢得了最终决战，你将得到许下终极愿望的机会，只有一次，请说出你的愿望。"

至此愿望之码争夺最终分出了胜负，罗克赢了外星人嘎嘎，阻止了他利用愿望之码毁灭地球的计划。

"我……"罗克本想许愿解救数学荒岛，但是这时嘎嘎突然发出震天吼声，打断

了罗克的话。

　　"啊！既然我没能得到终极愿望，那我就多花点时间，用我最擅长的方式来毁灭地球！"嘎嘎说着张开嘴，一道黑色的能量束从他口中喷涌而出，直射天空，霎时间犹如黑夜降临，黑暗能量仿佛在吞噬天空，无数乌云向它汇聚，形成了一个超级黑色大旋涡，紫色的闪电也不停地在这个大旋涡里产生。随后这个旋涡产生了吸力，就像黑洞一般，地面上一些细小的物体开始被吸进去。

　　嘎嘎大吼："毁灭吧！"

离散思维

离散思维又叫发散思维、辐射思维、放射思维、扩散思维或求异思维，它表现为思维视野广阔，思维呈现多维发散状。

例 题

有10棵树，要种成5行，每行4棵，需要怎么种？

方法点拨

如图所示：栽种的整体形状为五角星形，在两条线段的相交位置栽种树木，这样可以满足10棵树，栽5行，每行4棵。

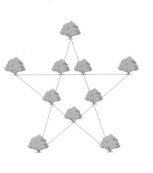

牛刀小试

下面这些图形，哪些能一笔画成，哪些不能呢？

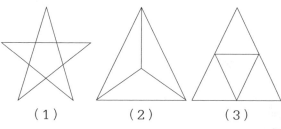

（1）　　　　（2）　　　　（3）

106

抉择

　　罗克等人抬头看着仿佛破了个大洞的天空，十分震惊。这个戳开天空的大黑洞给人无比强烈的压迫感，大洞不仅撕裂了天空，好像还要把他们也一并撕碎。

　　小镇上的人也被眼前的景象惊呆了，他们惊恐地看着这个慢慢扩大的黑洞，但是没人知道它是什么。

　　Milk看着天空上的大洞，眼神有些呆滞地说："这是哥哥在外星旅游的时候捡到的小黑洞装置，只要启动，这个星球就完了！"

校长生气地说："什么？这么狠毒，真要毁了地球啊？你哥哥安的什么心啊，既然有这么厉害的东西，为什么等到现在才用？"

"因为每用一次，我就要承受极大的代价，所以若不是万不得已，我也不想用。"嘎嘎耸耸肩说。

说话间，天空上的黑洞又扩大了，吸力也越来越强。地面上稍大一点的物体也开始被吸上去，人们必须抓住栏杆才能站稳。

罗克着急地喊道："糟了，这样下去就完了，Milk，有没有什么办法消除这个

黑洞？"

Milk摇摇头，他也不知道。

"罗克，用愿望之码！"

校长的话提醒了罗克，对啊，刚刚赢得了终极愿望，只要用了这个愿望，肯定可以阻止灾难的发生。

"不行！这是我们拯救荒岛的唯一机会！"罗克刚想许下愿望，国王却冲过来拦住了他。

罗克转头看了看依依、花花和小强，只见他们都低着头，似乎不愿面对罗克——他们也不想失去拯救家园的机会。

依依缓缓抬起头，一脸抱歉地说："对不起……罗克……我……"

小强甚至哭了出来："我真的很想回家……"

花花没说什么，只是开始抽泣起来。

国王从来没有像现在这样认真过，他身上背负着拯救家园的重任，所以他不允许罗

克把愿望用掉，即使罗克的家乡也遭受了威胁，即使是罗克帮他们赢来了这个愿望。

"虽然很对不起，但是我不答应……"国王坚定且决绝。

"罗克！都这时候了，你还在做什么？难道数学荒岛比我们的家园更重要吗？"校长质问道。罗克左右为难——站在他的立场，当然是拯救地球更重要。但是朋友的家园也是家园，况且愿望之码原本就是数学荒岛的东西，自己用它来拯救地球真的好吗，真的对得起朋友吗？

罗克紧握双拳，内心十分挣扎。UBIQ拉了拉罗克的手，似乎在安慰罗克，又似乎在给罗克打气。

"罗克！"校长和国王焦急地催促着。

罗克该如何抉择呢？

不断扩大的黑洞

天空上的黑洞不断扩大，形成一个标准的圆形。

圆的半径：r

直径：d

圆周率：π（数值为3.1415926至3.1415927之间……无限不循环小数），通常采用3.14作为 π 的数值

圆面积：$S = \pi r^2 = \pi \left(\dfrac{d}{2} \right)^2$

半圆的面积：$S_{半圆} = \dfrac{\pi r^2}{2}$

圆环面积：$S_{大圆} - S_{小圆} = \pi (R^2 - r^2)$（$R$为大圆半径，$r$为小圆半径）

圆的周长：$C = 2\pi r$ 或 $C = \pi d$

半圆的周长：$d + \dfrac{1}{2}\pi d$ 或者 $2r + \pi r$

例　题

天空上的黑洞接近圆形，现在的半径是3分米，

假如每秒半径增加1毫米，1分钟后，这个黑洞有多大？

解：$1 \times 60 = 60$（毫米）$= 6$（厘米）$= 0.6$（分米）

圆的面积：

$S = \pi r^2$，π 取 3.14，半径为（3+0.6）分米

$3.14 \times （3+0.6） \times （3+0.6）$

$= 3.14 \times 3.6 \times 3.6$

$= 40.6944$（平方分米）

答：1分钟后，这个黑洞面积为40.6944平方分米。

牛刀小试

天空上的黑洞接近圆形，现在的半径是3分米，假如每秒半径增加1毫米，1分钟内，这个黑洞增加的部分有多大？

毁灭地球的原因

　　罗克现在陷入两难境地，但是他知道，真的到了最后关头，他一定会用愿望之码拯救地球，毕竟这里是生他养他的地方啊！就算因此国王他们只能寄居地球，记恨自己，那也没有办法。

　　嘎嘎似乎看穿了罗克的想法，他趁所有人都不注意，突然偷袭了罗克。他一拳重击，直接打中罗克的脑袋，罗克当场昏厥过去。

　　"罗克！"依依等人连忙上前查看罗克的情况。见他毫无反应，大家顿时一阵

心慌。

"不会是……死了吧！"小强颤抖着说。

校长走过来检查了一下罗克的情况，说："没事，只是晕过去了而已。"

众人松了一口气，UBIQ转头就要过去跟嘎嘎拼命，但是被国王拉住，因为他知道这里没有人是这个外星人的对手。

嘎嘎冷笑说："哼，我绝不会给你们拯救地球的机会，这个到处是0的星球必须毁灭。现在罗克这家伙晕过去了，也就没人能许愿阻止我的计划了，哈哈哈！"

"Milk，你准备一下，跟我回家。"

Milk有些慌神，并没有听进哥哥的话。

"Milk？"

在嘎嘎的注视下，Milk走到了嘎嘎的对面，和校长等人站在一起，他摇摇头，鼓起勇气说："哥……我不回去。"

嘎嘎听完Milk的话非常生气，额头都冒

起了青筋："你在说什么？"

Milk坚定地说："虽然我才来地球不久，但是我很快乐。虽然没有爸爸妈妈，但是大家都很友好，连校长也是一个好人，在这里我感受到了真正和朋友相处的感觉，所以……我喜欢这里……"

听完Milk的"真情告白"，校长微笑着说："哼，算你还有点良心，不过我答应给你修飞船的事是骗你的，你还是乖乖跟你哥哥走吧。"

Milk嘿嘿一笑，说："其实我早就知道你不会修飞船了！"

Milk的话让校长感到震惊，更多的是不好意思，原来Milk一直都知道校长在骗他，却一直没有揭穿。

嘎嘎咬牙切齿地看着Milk，说："不是你让我毁灭地球的吗？"

嘎嘎的话让所有人大吃一惊，他们纷纷看向Milk。

"怎么回事？"众人齐声质问Milk。

Milk一阵心虚，不敢说话。这时嘎嘎说："其实我原本只是路过这里，打算顺便来看看他而已。我来这里之前给Milk写了一封信，问他在地球过得怎么样，如果地球人对他不好，就不要回信，免得被发现，而我会去毁灭地球把他救出来。我也确实没收到我弟弟的回信，等我到了地球后发现这还是一个到处都有0的星球。一个苛待我弟弟而且还有0的星球肯定不是什么好星球，所以我就决定毁灭它。"

"Milk？"众人再次齐声质问Milk。

Milk见瞒不下去了，只好开口说："我……我之前其实忘了看这封信，也是刚刚看了才知道的……我也不知道事情会变成这样啊。"

"真的不想毁灭地球？"嘎嘎看着Milk，再次试探地问他。

Milk疯狂点头，他很喜欢地球，因为自己

的原因给地球带来灾难，这让他十分内疚。

嘎嘎叹了一口气说："唉，可是事已至此，已经没办法了，还有半个小时地球就要毁灭了，你还是赶紧收拾一下，跟我一起走吧。"

"难道没有办法让天上的旋涡停下来吗？"

嘎嘎想了一会儿，说："传说只有一个方法，需要一千万个……不！没有！停不下来了！Milk，快跟我走！"不知道想到了什么，嘎嘎的表情突然变得惊恐万分。

众人一脸疑惑，连忙追问到底是什么办法，可无论大家怎么威逼利诱，嘎嘎却只是神色越来越慌乱，一口咬定没有办法。被一再逼问的嘎嘎使出吃奶的力气，硬把Milk扯上了飞船，准备一走了之。众人彻底陷入绝望中。

来地球108天

计算两个具体日期之间经过的天数，要弄清楚所在月份是大月还是小月，如果是二月，还要注意是平年二月（28天）还是闰年二月（29天）。

计算经过的天数常有顺推法和倒推法。初学习时，建议用分段计算，逐月逐月罗列，再计算。

例　题

今天是2030年6月16日，星期天，刚好是国王他们来地球的第108天。请问：他们是哪年哪月哪日来地球的？

方法点拨

用倒推法，国王他们在地球的天数：

6月有16天

5月有31天

4月有30天

3月有31天

108－16－31－30－31＝0（天）

答：他们是2030年3月1日来地球的。

今天是2030年6月16日，星期天，罗克他们还要20天才能放暑假，请问：罗克他们是哪月哪日开始放暑假的？

地球大危机

小镇上空的洞已经越来越大了，而且扩张速度似乎还在继续加快。这样下去，用不了多久，这个大洞就会覆盖整个天空，到时候，巨大的吸力绝对能将地面上的一切物体

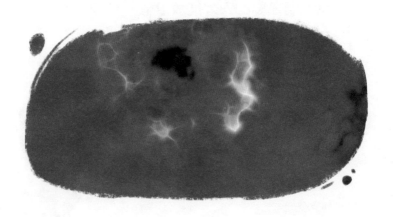

都吞进那个漆黑的洞中。

天空中大洞的强大吸力时刻拉扯着地面上的人，大家只有牢牢地抓住地面上尚能固定的物体，才能勉强不被吸上去。

哀号声、哭泣声与建筑崩塌的声音夹杂在一起，人们纷纷赶往防空洞躲避，那里暂时还比较安全。不过即使是防空洞，也不能长久抵挡那强大的吸力。

"妈妈！我感觉要飞上天了耶！"小孩子不知道发生了什么，只感觉自己快要飘起来了，而抱着他的妈妈已经泪流满面。这对母子没来得及赶到防空洞，只好紧紧抱住路边的大树。

"这里！快过来这里！"一辆车停在这对母子身边，原来是小胖爸爸，他正开车带着小胖去防空洞，看到路边的这对母子，毅然把车停了下来。

即便是危急时刻，胖警长和瘦警长还在坚持维持秩序，正是有了他们这样的人，小

镇才没有陷入混乱。殊不知，两位警长还是数学荒岛的居民啊！

小胖爸爸忧心忡忡地看着天空，叹了口气说："看来……这次真是地球大危机了。"

小胖爸爸搭上路边母子迅速前往防空洞，但是这时天空的大洞骤然变大，吸力瞬间增强，地面上的一些树木被连根拔起，更多的建筑物开始坍塌，汽车也无法继续前进。

"我不想被吸上天，呜呜……"小胖害怕得大哭。

由于吸力太强大，广场上的人只能牢牢抱住尚未损坏的建筑，只有嘎嘎和Milk两人安然无恙，貌似这个大洞对他们没有影响。

　　Milk蹲在抱着大柱子的校长旁边问："校长，你没事吧？"

　　校长稀疏的头发正在空中飞扬，但是他已经顾不得形象了，破口大骂道："早知道这样，当初就应该用食物撑死你！"

　　此时罗克仍然昏迷不醒，好在国王抱着他，没让他被吸上天去，花花、依依和小强则紧紧地抱着国王粗壮的大腿。

　　"你们抓紧啊！"国王咬牙大喊。

　　"嗯，有爸爸在就不怕！"花花这句话是在安慰自己，也是在为爸爸打气。

　　可是旁边越来越多的人被吸上天去，哭喊声让人心悸。

　　"国王，罗克虽然晕过去了，但我们是同一方的人，我们应该也能许愿吧？"依依紧紧抓着国王大声问道。

小强喊道："我记得校长答对题的时候，Milk也可以许愿，那我们应该也可以吧！"

花花纠结地说："可是……我们要许什么愿啊？"她这会儿也没法撕花瓣，一下子没了主意。

国王突然灵光一闪，说："我想起来了……先知曾经预言，荒岛的天空将会出现一个巨大的洞，那个洞会把数学荒岛吞没！这不是和地球现在的情形一样吗？而且今天刚好是我们来地球的第108天，也就是说数学荒岛现在可能也正在经受同样的危机！"

"怎么会这么巧？难道说，地球和数学荒岛的黑洞，是同一个？那我们直接许愿让黑洞消失吧！"

依依大声说出了愿望，可是愿望之码竟然没有反应。

国王叹了口气，说："刚才嘎嘎说过，让黑洞消失只有一个办法，恐怕愿望之码也无能为力吧。"

小强哭着说："那我们至少要保住一个星球呀！这个它总能做到吧！"

"可是愿望只能使用一次，选择地球，我们的家园就毁了；选择数学荒岛，我们也会和地球一起消失……唉，做国王怎么就这么难啊！"

忽然间，天空中传出一声巨响，大洞周围又出现裂口，并极速蔓延开来，这时抓什么都没用了，小强、花花、依依、罗克，还有校长，纷纷被吸上了天空。

地面上只有强壮的国王还没被吸走，大家像人梯一样一个拉着一个飘在半空。

国王咬紧牙关，他快坚持不住了，连忙大喊："愿望之码，我的愿望是……"

"等等！我知道了！"校长突然大喊，打断国王的话，"是0！能让嘎嘎怕成那样的，一定是数字0！"

国王还没反应过来，天空中已经传来

了依依、花花和小强清脆悦耳，整齐划一的声音：

"我们希望有1千万个数字0！"

顷刻间，愿望之码迸发出七彩的光芒，它犹如一盏明灯，照耀着这昏天黑地的小镇上的每一个角落。钞票上、信封上、课本上、包子店里、冰激凌店里……每一个0都跑了出来，像潮水一般涌向天空。

无数的0进入天空的黑洞，随着0的涌入，黑洞居然慢慢变得平静下来，风力减弱，吸力变小，洞口开始收缩。

黑洞迅速缩小，当它缩至一个点的时

候，突然迸发出七彩的光，光芒所至之处，河水不再汹涌，大地不再颤动，毁坏的建筑开始复原，断裂的树木重新再生。七彩光最后汇聚到天空中，形成了海市蜃楼。国王等人定睛一看，那不是数学荒岛吗！看来，数学荒岛也已雨过天晴，化解危机了！他们喜极而泣，拥抱在一起，甚至把校长当成英雄一样高高抛起。校长嗷嗷大叫，说他骨头要散架了。

天空变回了原样，那些被吸走的人又回到了地面上，只是他们不知道刚刚发生过什么，似乎那一切只是一场梦。

他们仰望天空，看到的是美丽梦幻的数学荒岛。不知为何，大家都被这奇观震撼得潸然泪下。

这时，一架太空飞船从天空坠落。原来驾驶员嘎嘎看到一千万个数字0，惊恐得晕了过去。而Milk也看呆了，一时抹泪一时傻笑，竟忘了操控飞船。

罗克终于醒了过来，他迷迷糊糊地睁开眼，第一眼看到的就是湛蓝的天空和他在朋友口中听过、在脑中畅想过一万次的数学荒岛。

地球和数学荒岛的危机终于被化解了，一切又恢复了平静。

一千万个0？

要想让黑洞消失，需要一千万个0，这是个很大的数字。数学中也常出现大数字计算题，这些看似复杂到无法算出的数字背后常隐藏着一定的规律，需要我们仔细观察分析，找出规律，从而得出正确答案。

例 题

罗克出了一道数学题，想吓吓嘎嘎：1×2×3×4×5×…200，你知道这道题的结果中末尾有多少个连续的数字0吗？

方法点拨

积的末尾0的个数是由因数2和5的个数决定的，200以内的数有因数2的个数一定多于有因数5的个数，所以只要看有因数5的个数就行了。

由于200÷5=40（个）

200÷25=8（个）

200÷125=1（个）……75，

40+8+1=49（个）

即在1×2×3×4×…×200的积的末尾有49

个0。

牛刀小试

2000×1999-1999×1998+1998×1997-

1997×1996+…+2×1的结果是多少？

罗克的一天

周一，罗克照常被UBIQ叫醒，吃完早饭的他，匆匆背起自己的小书包，踩着UBIQ变形成的滑板出门了。

在路上的时候，一辆校车出现在罗克身

后，司机按了两下喇叭，罗克回头朝车上的人挥了挥手，算是打了招呼。

胖警长和瘦警长吹响了口哨，示意罗克不能在马路上滑滑板，罗克只好悻悻然回到自行车道上。

到了校门口，罗克看到国王和加、减、乘、除在像往常一样进行安检工作，还是那么严厉，不少学生的物品都被没收了。

还没开始上课，教室里有些嘈杂，大家你一句我一句，说着周末遇到的趣事，时不时还会传来笑声。

小强正在赶作业，因为他把周末的作业忘了，再不写就来不及了。依依和花花又在拌嘴，她们在争论早上谁先上的车，花花认为肯定要公主先上车才行，而依依对此嗤之以鼻。

奇怪，怎么数学荒岛危机解除了，他们还没回去呢？原来，国王的王后听说了他们在地球的趣事，也想来看看。

校长则和他哥健忘棍一起回了一趟老家，虽然那里已经没有他们的亲人了，但是他们还是在那里建了一栋房子，毕竟那里有他们儿时的记忆，当然Milk也有去帮忙。

　　哦，对了，自从上次飞船坠落之后，Milk就和哥哥告别，屁颠屁颠地回去找校长了。校长把Milk大骂了一通，说自己统治地球的大业都被他搅和了。没想到Milk只是点点头，笑嘻嘻地说："地球这么好，难怪你想统治地球。不过这都不重要，重要的是今天有没有泡面吃呀？"

房子的面积

校长和他哥健忘棍在老家建了一栋房子。建房子首先要画设计图，你能看懂房屋设计图吗？

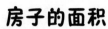

例 题

根据房子设计平面图，校长和哥哥建的房子中，三间卧室（不算阳台）共多少平方米？

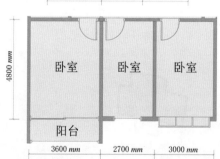

方法点拨

三间卧室连在一起是长方形。

134

长：3600+2700+3000=9300（毫米）=9.3（米）

宽：4800毫米=4.8米

面积：9.3×4.8=44.64（平方米）

答：三间卧室（不算阳台）共44.64平方米。

牛刀小试

厨房和餐厅合起来的面积有多大？如果校长想在客厅中放一块圆形的地毯，则应该买多大的地毯？

参考答案

外星人兄弟

● **1. 花花的烦恼**

【荒岛课堂】写信与打电话中的数学

【答案提示】

两个人握手一次，就算完成了两个人之间的问候，不需要回握。所以：

5+4+3+2+1=15（次）

答：他们一共握了15次手。

● **2. 花花找朋友**

【荒岛课堂】花花偶遇青蛙

【答案提示】

解：设白兔有 x 只。列方程，得

$$2(x-2)=x+4$$

$$2x-4=x+4$$

$x=8$

灰兔：8+4=12（只）

答：白兔有8只，灰兔有12只。

● 3. 和外星人做朋友

【荒岛课堂】花花和外星人追逐

【答案提示】

这是一道追及问题，求追及时间。

160÷（200−120）

=160÷80

=2（分）

外星人2分钟能追上花花。

● 4. 我有外星人朋友我自豪

【荒岛课堂】比例

【答案提示】

将总身高看作2+3=5（份）

嘎嘎的身高：$320 \times \dfrac{2}{5}$=128（厘米）

Milk的身高：$320 \times \dfrac{3}{5}$=192（厘米）

5. 外星人兄弟

【荒岛课堂】正方体的切割

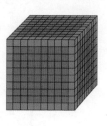

【答案提示】

一面涂有红色的小正方体在6个面的中间。

$$（10-2）×（10-2）×6=384（个）$$

所以，一面涂有红色的有384个。

灭世危机

1. 校长被绑架了

【荒岛课堂】让嘎嘎闻风丧胆的0

【答案提示】

首先理解"取出的任何两个数的和，不在取出的数中"：如果取出的数有3、4、7，3+4=7，意味着7不符合条件，要放回去。

看看下面的数表，你发现什么？

对！当你取出25及后面的数时，取出的任何两个数的和，不在取出的数中。

1	2	3	4	5	6	7	8	9	10
11	12	13	14	15	16	17	18	19	20
21	22	23	24	25	26	27	28	29	30
31	32	33	34	35	36	37	38	39	40
41	42	43	44	45	46	47	48	49	50

前面1～24这24个数都不取，50－24＝26（个）

答：最多可以取出26个数。

2. 外星人入侵地球！

【荒岛课堂】冰激凌中的数学

【答案提示】

解：设瓶的底面积为S，瓶中酒的液面高度是x厘米。圆柱的体积＝底面积×高，圆锥的体积＝$\frac{1}{3}$底面积×高。瓶中酒的体积不变。

$7S=6S÷3+（x-6）S$

$7=2+（x-6）$

$5=x-6$

$x=11$

答：瓶中酒的液面高度是11厘米。

3. 国王与外星人的大决战

【荒岛课堂】剪刀　石头　布

【答案提示】

答：小强和依依。（或者罗克和依依）

4. 解救校长

【荒岛课堂】设计图案

【答案提示】

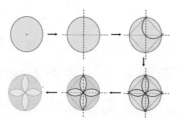

5. 兵不厌诈

【荒岛课堂】钢铁笼

【答案提示】

钢铁笼的空间：$9 \times 6 \times 2.7 = 145.8$（立方米）

用布：$9 \times 6 + 9 \times 2.7 \times 2 + 6 \times 2.7 \times 2$

$= 54 + 48.6 + 32.4$

$= 135$（平方米）

这个钢铁笼内的空间有145.8立方米，这个布罩至少用135平方米布。

6. 最后的对决

【荒岛课堂】赛场上的数学

【答案提示】

假如罗克得4分，校长得2分，现在是4比2，这个过程可能经历了$1:0$、$2:0$、$3:0$、$4:0$、$4:1$、$4:2$。

也可能经历了$0:1$、$0:2$、$1:2$、

2：2、3：2、4：2。

……（有15种可能哦，你试试看）

● 7. 外星搅局者

【荒岛课堂】等体积变换（2）

【答案提示】

解：设这个圆锥体的高为x厘米。

$$3.14 \times 6 \times 6 \times x \div 3 = 15 \times 15 \times 1.2$$

$$31.4x = 225$$

$$x \approx 7.2$$

答：这个圆锥体的高是7.2厘米。

● 8. 决出胜负

【荒岛课堂】离散思维

【答案提示】

（1）（3）可以，（2）不可以。

● 9. 抉择

【荒岛课堂】不断扩大的黑洞

【答案提示】

解：1×60=60（毫米）=6（厘米）=0.6（分米）

3.14×[（3+0.6）×（3+0.6）−3×3]

=3.14×[12.96−9]

=3.14×3.96

=12.4344（平方分米）

答：黑洞增加的部分面积为12.4344平方分米。

● 10. 毁灭地球的原因

【荒岛课堂】来地球108天

【答案提示】

6月还有30−16=14（天）

7月应有20−14=6（天）

所以应是7月7日开始放假。

● 11. 地球大危机

【荒岛课堂】一千万个0?

【答案提示】

可将原式变形为1999×（2000-1998）

+1997×（1998-1996）+…+3×

（4-2）+2×1

=（1999+1997+…+3+1）×2

=（1999+1）×1000÷2×2

=2 000 000

答：这个算式的结果是2 000 000。

● 19. 罗克的一天

【荒岛课堂】房子的面积

【答案提示】

（1）（2.4+1.2）×（4.2+0.9）

=3.6×5.1

=18.36（平方米）

（2）4.45÷2=2.225（米）

3.14×2.225×2.225≈15.54（平方米）

答：厨房和餐厅合起来的面积是18.36平

方米；应该买面积约为15.54平方米的地毯。

数学知识对照表

2

数学知识一览表

	对应故事	知识点
愿望之码	新的学期，新的开始	烙饼问题
	校园里的外星人	植树问题
	奇怪的球	找规律
	神奇的愿望之码	数与符号
启动	愿望之码失效了？	数与符号
	大街上的坦克 五颜六色的热狗	鸡兔同笼问题
	启动成功许愿失败	推理
	数学骑士的决斗	烙饼问题
空气大盗	谁动了我的零食	计数问题
	大人与小孩 的赌约	最值问题
	空气大盗	追及问题
	入学	方程法
追捕外星人	第一份工作	折扣问题
	零食大盗就范	追及问题
	校长的野心	周期问题
	隐形外星人Milk	策略问题

	对应故事	知识点
危险的校车	上学的路真远	乘法原理计数
	校车修好了！	植树问题
	罗克和国王的比赛	植树问题与数列求和问题综合
	校车来了	行程问题
	校长的目的	较复杂的行程问题
	校长的真正目的	乘法原理计数
	愿望之码的战场	组合计数问题
史上最严保安	国王的工作	鸡兔同笼问题
	史上最严保安	乘法原理计数
	校长也要安检	排列问题
	当保安第一天就要失业了？	钟面问题
罗克『作弊』记	突击检查	方程法
	史上最严监考！	环形行程问题
	校长"大胜利"	分数应用题

146

	对应故事	知识点
	备受困扰的罗克	简单计数问题
	电视争夺战	分数应用题
城堡新家	地球人眼中的外星人	数列求和
	破旧的游乐园	圆的周长
	进入城堡大门	公倍数与最小公倍数
	藏在城堡里的怪物	相遇问题
	恐怖的声音	分数与份数
游乐园大冒险	比妖怪更可怕的人	还原法
	一起去探险喽!	工程问题
	奇怪的冒险屋	周期问题
	幽灵也怕火	分段收费
	飞跃吧!煤矿车	追及问题
	魔镜魔镜	镜面对称

	对应故事	知识点
	UBIQ坏了?	假设法
	反复的UBIQ	行程问题
真假UBIQ	赝品机器人	策略问题
	UBIQ叛变?	策略问题
	保姆机器人UBIQ	行程问题
	逆境反转	数字迷
	真相大白	推理问题
	午饭时光	计算问题
	饭菜涨价是为了大家好	分段计费
	涨价是要有理由的	计算问题
食堂风波	会飞的老婆婆与她的糖果	分类枚举
	特别的道歉	税率问题
	无法降落	概率问题
	飞翔的时候不能做数学题!	分类计数
	各自的生活	行程问题

对应故事	知识点
令人期待的游园会……吗	年龄趣题
游园会开始	折扣问题
双人份的飞天大炮	单位换算
神枪手花花	较复杂的应用题
父女的约定	巧用编号
大变Milk	信息技术中的数学问题
罗克去哪了	图表法
罗克搜救队	幻方
自讨苦吃	最不利原则
大家的秘密武器	巧用数量关系
MJ之舞	综合找规律
鬼故事接龙	牛吃草问题
隐藏的铁门	数字谜趣题
地下舞蹈室	周期问题
舞蹈大赛	概率问题

游园会 / 舞蹈大赛

对应故事	知识点
作业太少，校长不高兴了	工程问题
决定命运的答案	植树问题
小强失踪了！	等量代换
黑暗的街角是流浪者的栖息地	经过时间的计算
一次失败的离家出走	概率、可能性
敌人是100道题	工程问题
校长被罚操场跑500圈	环形跑道周长
要举办体能测试	斐波那契螺旋线
肌肉教练	基本单位和派生单位
训练准备	热量计算
魔鬼训练的最后一项	拓展角的认识
体能测试来了	同余除法
测试的陷阱	确定起跑线
"温暖人心"的Milk	分数量、分率
努力是有回报的	行程问题

100道数学题 / 魔鬼体能测试

对应故事	知识点
奇怪的闹钟	算式谜
早起的鸟儿有虫吃	长方体的体积和容积
校长的新阴谋	认识磅、英寸
国际象棋的黑白格	奇偶性
蛋糕比赛	按比例分配
老师和依依的矛盾	组合圆柱体体积
误打误撞发现阴谋	奇偶性
依依的努力	圆心角
谁的蛋糕最好吃	分数应用题
谁能吃到花花的蛋糕	用假设法解决问题
校长要中招了	容斥问题
小气的校长	逆推法
被威胁的罗克	顺数与倒数
校长的侄女"肚子疼"	计划与实际的问题解决
奇奇怪怪的对手	加法原理
罗克大显身手	平面图形的面积
罗克与杜子藤的对决	算式谜
被绑架的罗克	长方体的容积和表面积
女装校长真好玩	平均数

蛋糕节风波 / 数学擂台

对应故事	知识点
意外的相遇	相遇问题
神奇药水不神奇	百分数解决问题
有点怪的早晨	立体图形的棱长
朋友大变样	计算时间
香水导致的闹剧	逆推还原法
香水闹剧的落幕	大面积含有的小面积
考试成绩	百分率
小强的网友	搭配问题
国王VS校长	植树问题
数学哥的真实身份	长方体的表面积（变式）
罗克的生日愿望	图形分割
梦想成真	数学广角：打电话
受欢迎的罗克克	奇偶性
罗克学乖了？	三角形的面积
罗克克回收计划	镜面对称
罗克克的真面目	归一、归总问题
罗克就应该有罗克的样子	圆柱、球体的体积

神奇香水 / 神秘网友 / 克隆罗克

	对应故事	知识点
垃圾怪	依依与罗克的对决	用推理解决问题
	角色扮演的冒险游戏	数学广角：掷一掷
	国王的决心	最优方案
	国王要被校长教训了	圆柱体的表面积
	国王被警察抓了	分数解决问题
	扫大街的国王	乘除法原理解题
	地球是我家，干净靠大家	面积铺贴问题
	校长又又又要使坏了	等比数列
	从天而降的垃圾	等腰直角三角形
	校长又失望了	数字谜
阿基米德的数学手稿	我爸爸是大明星	九宫格构图、黄金比例构图
	阿基米德手稿不见了	逻辑推理
	小小侦探罗克	分析数据
	当"粉丝"见到偶像	图形的运动
	保险箱的秘密	数图形
	夺回手稿大行动	认识纳米
	速度与激情的追逐	分段计算
	被毁掉的阿基米德手稿	稍复杂百分数问题
	最后的机会	列方程解决问题

	对应故事	知识点
外星人兄弟	花花的烦恼	加法原理和乘法原理
	花花找朋友	差倍问题
	和外星人做朋友	行程问题
	我有外星人我自豪	比例
	外星人兄弟	找规律
灭世危机	校长被绑架了	寻找数的规律
	外星人入侵地球！	等体积变换
	国王与外星人的大决战	加法原理和推理结合
	解救校长	图形的运动
	兵不厌诈	棱长、体积和表面积
	最后的对决	倍比和差比
	外星搅局者	等体积变换
	决出胜负	离散思维、一笔连
	抉择	圆的面积
	毁灭地球的原因	推算起（止）时间
	地球大危机	找规律
	罗克的一天	看平面图求面积